Portugues em Foco 1

Caderno de Exercícios

Níveis A1/A2

Lidel – edições técnicas, lda.
www.lidel.pt

EMPRESA PROMOTORA
DA LÍNGUA PORTUGUESA

A Lidel adquiriu este estatuto através da assinatura de um protocolo com o **Camões – Instituto da Cooperação e da Língua**, que visa destacar um conjunto de entidades que contribuem para a promoção internacional da língua portuguesa.

Edição e Distribuição
Lidel – Edições Técnicas, Lda
Rua D. Estefânia, 183, r/c Dto – 1049-057 Lisboa
Tel: +351 213 511 448
lidel@lidel.pt
Projetos de edição: editoriais@lidel.pt
www.lidel.pt

Livraria
Av. Praia da Vitória, 14 A – 1000-247 Lisboa
Tel: +351 213 511 448
livraria@lidel.pt

Copyright © 2020, Lidel – Edições Técnicas, Lda.
ISBN edição impressa: 978-989-752-493-6
1.ª edição impressa: fevereiro 2020
Reimpressão de maio 2021

Paginação: Pedro Santos
Impressão e acabamento: Cafilesa – Soluções Gráficas, Lda. – Venda do Pinheiro
Dep. Legal: n.º 467519/20

Capa: José Manuel Reis

Fotografias: vários (ver páginas 79-80)

Todos os nossos livros passam por um rigoroso controlo de qualidade, no entanto aconselhamos a consulta periódica do nosso *site* (www.lidel.pt) para fazer o *download* de eventuais correções.
Não nos responsabilizamos por desatualizações das hiperligações presentes nesta obra, que foram verificadas à data de publicação da mesma.
Os nomes comerciais referenciados neste livro têm patente registada.

Índice Geral

© Lidel – Edições Técnicas, Lda.

1. Complete os diálogos com as palavras/expressões das caixas.

Diálogo A

> obrigada / como / dia / até amanhã

Paula: Bom _____, professor! _____ está?

Professor: Olá, Paula. Está tudo bem?

Paula: Sim, _____.

Professor: Então, adeus.

Paula: _____!

Diálogo B

> igualmente / tudo bem / como / olha / olá / prazer

Manuel: _____ o João!

Carla: Onde?

Manuel: Ali, na esplanada. Olá, João. _____ estás?

João: _____, obrigado. E tu?

Manuel: Também está tudo bem. Olha, esta é a Carla. Ela é minha colega.

João: _____, Carla. Muito _____.

Carla: _____. João, tomas um café?

João: Sim, obrigado.

2. Procure na sopa de letras, na horizontal e na vertical, dez palavras dos diálogos do exercício anterior.

B	E	M	B	C	V	B	N	T	U	D	O
X	T	Ç	D	H	M	Z	X	S	W	I	J
A	B	P	F	S	C	O	M	O	D	A	C
T	H	R	T	G	L	L	J	A	Q	U	D
É	J	A	H	T	K	H	K	S	W	Ã	E
R	O	Z	J	A	I	A	M	A	N	H	Ã
G	L	E	L	B	U	V	R	R	T	U	Y
O	B	R	I	G	A	D	O	A	O	L	Á

3. Assinale a palavra que não pertence a cada grupo.

1. bom dia / adeus / boa noite / boa tarde
2. estudo / falo / moras / tomo / encontro
3. fala / encontra / mora / estudam / toma
4. eu / você / ele / tu / o

4. Faça a correspondência.

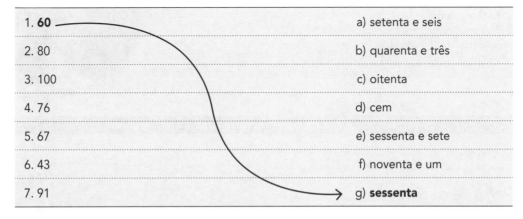

1. **60**	a) setenta e seis
2. 80	b) quarenta e três
3. 100	c) oitenta
4. 76	d) cem
5. 67	e) sessenta e sete
6. 43	f) noventa e um
7. 91	g) **sessenta**

5. Escreva os numerais por extenso. Siga o exemplo.

0 - zero

8 -	4 -	3 -	12 -
5 -	11 -	7 -	1 -
14 -	18 -	6 -	2 -
13 -	9 -	15 -	20 -
17 -	10 -	19 -	16 -

6. **Faça a correspondência.**

1. **Falas inglês?**	a) Sou do Porto.	1 → C
2. Onde trabalha?	b) Moro em Cascais.	
3. Onde moras?	c) **Sim, falo.**	
4. Como estás?	d) Trabalho na universidade.	
5. De onde é?	e) Estou bem, obrigado.	

7. **Descubra as cinco palavras relacionadas com o vocabulário apresentado na Unidade 1 do Livro do Aluno.**

OFPSSRERO	LPTAORGU	NTDUEASTE	MROÚNE	ZCTOARE

8. **Assinale a opção correta.**

André: Olá, Luísa! **Como**/**Onde** estás?

Luísa: André! **Estou/Está** bem, obrigada.

André: **Moras/Moro** em Lisboa?

Luísa: Não. Neste momento, moro e **trabalho/trabalha** no Porto. Sou professora.

André: Olha, quero apresentar-te o meu amigo Louis. Ele é **francês/francesa** e **estuda/estudas** Português.

Luísa: Luísa Marques. Muito prazer, Louis.

Louis: Muito gosto. Como está?

Luísa: Bem, obrigada. Louis, **onde/como** mora?

Louis: Moro em Lisboa, no Chiado.

Luísa: Que giro! Em que rua **mora/moram**?

Louis: Moro **na/da** Rua do Alecrim.

Luísa: Ah, sim? Em que número?

Louis: No número treze.

1. Assinale se os nomes abaixo são nomes próprios (NP) ou apelidos (A).

1. Esteves	A	7. José	
2. Lopes		8. Silva	
3. Sara		9. Carla	NP
4. Pedro		10. Bruno	
5. Luísa		11. Coelho	
6. Henriques		12. Henrique	

2. Escreva a pergunta correta para cada resposta.

1. De onde és?		Sou de Roma.
2.	?	Estudo inglês.
3.	?	Sou italiana.
4.	?	Chamo-me Carla.
5.	?	Sou bailarina.
6.	?	Estou a estudar japonês.

3. Descubra as cinco palavras relacionadas com o vocabulário da Unidade 2 do Livro do Aluno.

OMÉCID	ÊRFNSAC	LQAU	EDIDA	HTONE

4. Assinale a palavra que não pertence a cada grupo.

1. italiano / russo / venezuelano / irlandês / espanhola

2. enfermeira / simpático / espanhola / médica / cara

3. Brasil / Angola / Cabo Verde / México / Moçambique

4. Oliveira / Silva / Antunes / Paulo / Fernandes

5. Procure na sopa de letras, na horizontal e na vertical, o nome de seis países.

U	R	U	G	U	A	I	P	T	B
X	T	Ç	D	H	M	Z	S	F	R
A	E	S	P	A	N	H	A	G	A
T	H	R	T	G	L	M	N	V	S
É	H	A	H	T	K	H	X	F	I
P	O	R	T	U	G	A	L	R	L
R	L	W	E	O	R	U	I	O	L
S	A	A	R	T	G	H	J	D	Ç
G	N	E	L	B	U	V	L	D	R
T	D	J	F	G	A	E	Y	U	K
Y	A	C	H	I	N	A	A	S	N

6. Complete a tabela de acordo com a informação.

País/Origem	Nacionalidade	Nome	Língua Materna	Idade	Profissão
Portugal	portuguesa	Ana	português	49	médica
França		Pierre		17	estudante
Brasil		Carlos e Pedro		33 e 40	professores
China		Tsui		37	tradutor
Japão		Yoko		53	arquiteta
Espanha		Paco		62	advogado

7. Complete as frases de acordo com a tabela do exercício anterior.

1. A Ana é <u>de Portugal,</u> é <u>portuguesa</u> e fala <u>português</u>. Ela tem <u>quarenta e nove anos</u> e é <u>médica</u>.

2. O Pierre é _____, é _____ e fala _____.
   Ele tem _____ e é _____.

3. O Carlos e o Pedro são _____, são _____ e falam _____.
   O Carlos tem _____ e o Pedro tem _____ e são _____.

4. O Tsui é _____, é _____ e fala _____.
   Ele tem _____ e é _____.

5. A Yoko é _____, é _____ e fala _____.
   Ela tem _____ e é _____.

6. O Paco é _____, é _____ e fala _____.
   Ele tem_____ e é _____.

8. Complete o diálogo com os verbos na forma correta.

Carlos: Paulo, o que _____ (estar) a estudar?

Paulo Estou a estudar Português. Normalmente, _____ (estudar) na biblioteca todos os dias.

Carlos: Eu também _____ (ter) de estudar. Tenho um teste de Português, mas não tenho o livro.

Paulo: Olha, queres tomar um café?

Carlos: Não _____ (gostar) de café. Mas _____ (beber) um chá. Onde?

Paulo: No bar da escola.

1. Preencha o crucigrama de acordo com as imagens.

© Lidel – Edições Técnicas, Lda.

2. Leia as frases do diálogo e coloque-as por ordem (1 a 6).

Paulo:	Ana, queres tomar um café ou bebes um chá?	1
Empregado:	Muito bem.	☐
Ana:	Eu prefiro beber um chá. E tu, Sara?	☐
Paulo:	Eu também bebo um chá e quero comer um rissol de camarão.	☐
Sara:	Eu quero um café. Detesto chá.	☐
Ana:	Então, queremos um café, dois chás e um rissol de camarão, por favor.	☐

3. Complete o texto com as palavras da caixa fazendo as alterações necessárias.

> **barato (2x) / simpático / caro / difícil / fácil**

O Paulo e a Catarina são colegas e estão a estudar Português no bar da faculdade.

Paulo:　Catarina, o café neste bar é muito _____.

Catarina: A água também é _____, mas os bolos são _____.

Paulo:　Depois das aulas, eu tenho trabalhos de casa para fazer. Os exercícios são muito _____. Prefiro fazer exercícios mais _____.

Catarina: Não há problema. Eu ajudo-te.

Paulo:　És muito _____. Obrigado!

4. Assinale se as frases estão corretas (C) ou erradas (E). Depois, corrija as frases erradas.

1. Os colegas são muito falador.	☐
2. O Carlos é um estudante muito trabalhadora.	☐
3. A Sara e a Ana estão triste.	☐
4. O professor é simpática.	E
5. Os livros são barato.	☐
6. Os transportes são caro.	☐
7. O café está quente.	☐

1. _____

2. _____

3. _____

4. <u>O professor é simpático.</u>

5. _____

6. _____

7. _____

5. Assinale a opção correta.

Na cantina da escola, os estudantes **(estão)/está** a conversar. Eles **gostas/gostam** de comer os bolos **português/portugueses**, mas **preferem/prefere** os salgados.

José: **Quero/Quer** beber uma água. **Tenho/Tem** sede!

Mariana: Eu e a Luísa **querem/queremos** beber um sumo de laranja **fresca/fresco**. Hoje, o dia está muito quente.

Luísa: Eu adoro sumo de laranja, mas hoje **prefiro/prefere** beber uma água **fresco/fresca**.

José: Mariana, **queres/quero** comer um bolo?

Mariana: Sim, pode ser. E tu, Luísa?

Luísa: Eu **come/como** um salgado. **Adoro/Adora** rissóis de camarão.

6. Leia novamente o quadro com os atos de fala da Unidade 3 do Livro do Aluno (página 47) e faça a correspondência entre as colunas.

1. Expressar incerteza	a) A: João, queres beber um chá? B: Sim, boa ideia.
2. Expressar cortesia	b) Bom dia. Queria um café.
3. Corrigir-se / Desfazer equívocos	c) A: Queres comer um bolo? B: Sim! Que bom!
4. Expressar concordância	d) A: Gostas de café, Ana? B: Não tenho a certeza.
5. Expressar satisfação	e) A: Bom dia. Queria um café muito cheio. B: Deseja um café duplo? A: Não é isso que quero dizer. Eu quero um café cheio, apenas.

1. Faça a correspondência.

1. **10h15**	a) São vinte para as dez.
2. 9h40	b) É uma e vinte.
3. 13h20	c) **São dez e um quarto.**
4. 20h25	d) É meio-dia e meia.
5. 7h10	e) É meia-noite.
6. 12h30	f) São oito e vinte e cinco.
7. 00h00	g) São sete e dez.

2. Ordene as palavras de modo a formar frases interrogativas.

1. são / que / horas

   Que horas são?

2. horas / a / que / acordas

   _____

3. que / a / é / horas / que / almoças

   _____

4. que / hoje / dia / é

   _____

5. idade / que / tem / ele

   _____

6. sai / a / que / de / horas / casa

   _____

7. abre / horas / que / a / secretaria / a

   _____

3. Observe as palavras do quadro e escreva frases corretas sobre o seu quotidiano.

1. 7h00 / levantar-se	6. trabalhar / 8h30 / 18h00
2. pequeno-almoço / tomar / 7h45	7. almoçar / 13h00 / cantina
3. casa / sair / 8h00	8. sair / empresa / à tarde
4. autocarro / apanhar / 8h15	9. casa / voltar / fazer / jantar
5. trabalho / chegar / 8h30	10. deitar-se / 23h00

1. <u>Eu levanto-me às sete horas.</u>

2._____

3._____

4._____

5._____

6._____

7._____

8._____

9._____

10. _____

4. Procure na sopa de letras, na horizontal e na vertical, sete verbos relacionados com ações do quotidiano.

U	H	O	R	G	M	R	P
U	A	C	O	R	D	A	R
X	P	Ç	D	H	M	J	B
A	A	S	P	A	N	A	E
T	N	R	T	G	L	N	B
C	H	A	H	T	K	T	E
P	A	L	M	O	Ç	A	R
R	R	W	E	M	R	R	I
S	A	A	R	A	G	H	J
G	S	A	I	R	U	V	L
T	D	J	F	G	A	E	Y

5. Complete o texto com as palavras apresentadas na Unidade 4 do Livro do Aluno.

O Eduardo _____ todos os _____ às sete horas _____

manhã. Levanta-se e, depois, _____ um duche, veste-se e _____

o pequeno-almoço. Ele _____ uma torrada e _____ um café.

Por volta das oito horas, ele _____ de casa e _____ o metro para o

centro da cidade.

O Eduardo é professor na faculdade e _____ das nove da manhã até às quatro

da tarde.

Quando _____ da faculdade, o Eduardo _____ ao supermercado,

_____ compras e _____ a casa logo a seguir.

Ele _____ o jantar assim que _____ a casa e, depois, _____

na sala de estar e _____ um pouco de televisão.

Depois de _____ a cozinha, ele _____ no sofá e _____ um livro.

O Eduardo _____ à meia-noite.

6. Leia novamente o quadro de preposições de tempo da Unidade 4 do Livro do Aluno (página 57) e complete o texto com as preposições da caixa.

à / ao (4 x) / às / da / de

Hoje é sábado e a Carolina e o Vasco acordam _____ meio-dia.

Durante a semana, a Carolina e o Vasco saem _____ casa muito cedo porque entram no emprego _____

oito _____ manhã.

_____ fim de semana, eles costumam almoçar num restaurante e, depois, passeiam pela cidade.

_____ domingo _____ tarde, eles vão _____ cinema.

1. **Assinale a palavra que não pertence a cada grupo.**

1. casa / apartamento / vivenda / quarto
2. ótimo / péssimo / fantástico / excelente
3. sala / quarto / cozinha / piso
4. rua / avenida / jardim / travessa

2. **Complete as frases com os verbos da caixa na forma correta.**

desejar / ser / estar / ter / ficar / viver

1. O prédio <u>fica</u> no centro da cidade e _____ moderno.
2. O prédio _____ sete pisos e _____ perto de um jardim.
3. O prédio _____ antigo, mas _____ todo renovado.
4. O Paulo _____ no segundo andar e _____ um cão.
5. As paredes da casa do Paulo _____ brancas.
6. O Paulo _____ duas televisões: uma no quarto e outra na sala de estar.
7. Os quartos _____ pequenos, mas a sala de estar _____ grande.
8. O Paulo _____ morar sozinho.

3. **Complete as frases com as palavras da caixa fazendo as alterações necessárias.**

amarelo / colorido / fresco (2x) / frio / quente (2x) / vermelho

1. No outono, os dias estão _____ e as árvores têm as folhas _____ e _____.
2. No verão, os dias estão _____ e as pessoas vestem roupas _____.
3. O inverno é uma estação _____. Por isso, as pessoas vestem roupas _____.
4. Na primavera, as flores são muito _____.

4. Procure na sopa de letras, na horizontal e na vertical, os antónimos das palavras da caixa.

pequeno / moderno / limpo / alto / novo / bonito

U	R	U	G	U	A	V	P	T	B
X	T	Ç	D	H	F	E	I	O	R
A	E	S	P	A	N	L	A	G	A
T	H	R	T	G	L	H	N	V	S
É	H	A	S	U	J	O	X	F	I
G	H	J	D	Ç	G	P	T	B	P
B	A	I	X	O	G	A	L	R	L
R	N	W	E	O	R	U	I	O	L
S	T	A	R	T	G	H	J	D	Ç
G	I	E	L	B	U	V	L	D	R
T	G	R	A	N	D	E	X	U	K
Y	O	C	H	I	N	A	A	S	N

5. Complete os textos sobre o Paulo e a Rita.

Texto A

Olá! Eu chamo-me Paulo e sou italiano. Eu quero estudar Português em Lisboa numa escola de línguas no centro da cidade.

Em junho, vou morar em Lisboa e tenho de arrendar um apartamento por seis meses. Desejo ficar num apartamento moderno, perto do metro.

Ele <u>chama-se</u> Paulo e _____ italiano. Ele _____ estudar Português _____ Lisboa numa escola de línguas no centro da cidade.

Em junho, _____ morar em Lisboa e _____ de arrendar um apartamento por seis meses. _____ ficar num apartamento moderno, perto do metro.

Texto B

Eu chamo-me Rita e moro em Barcelona.

Eu vou fazer Erasmus na Universidade do Porto. Eu vou estudar Direito e vou ficar lá de setembro a janeiro.

Quero morar perto da zona histórica. Também quero ter um supermercado e transportes perto de casa.

Ela _____ Rita e _____ em Barcelona.

Ela _____ fazer Erasmus na Universidade do Porto.

Ela _____ estudar Direito e _____ ficar lá de setembro a janeiro.

Ela _____ morar perto da zona histórica. Também quer ter um supermercado e transportes perto de casa.

6. **Ouça novamente o Texto C da Unidade 5 do Livro do Aluno (teste de revisão, página 75) e responda às perguntas.**

1. Quanto tempo é que a Francesca vai ficar em Portugal?

   _____

2. A Francesca vai ficar apenas em Lisboa?

   _____

3. O que é que a Francesca vai fazer durante as férias?

   _____

4. A Francesca gosta de ir à praia?

   _____

5. O que é que o Vasco pensa sobre o Norte do país no verão?

   _____

6. E você? O que gosta de fazer nos tempos livres?

   _____

1. Assinale as palavras da caixa que são preposições.

para

a

eu

por

ele

de

me

te

2. Complete as frases com as preposições da caixa e os nomes dos transportes.

para / pela / pelo

1. O <u>táxi</u> vai **para** o aeroporto.

2. O _____ vai _____ ponte _____ Almada.

3. O _____ vai _____ Avenida da Liberdade _____ o centro da cidade.

4. O _____ passa _____ túnel quando vai _____ o hospital.

5. O _____ vai _____ os arredores da cidade.

6. O _____ passa _____ aeroporto.

3. Ordene as palavras de modo a formar frases corretas. Faça as alterações necessárias.

1. onde / ir / autocarro / por / o

   <u>Por onde vai o autocarro?</u>

2. morar / eu / centro / da / no / cidade

   _____

3. de / para / apanhar / manhã / ele / autocarro / o / escola / a

   _____

4. ser / Portugal / transportes / em / os / confortáveis

   _____

5. nunca / para / nós / apanhar / metro / o / empresa / a

   _____

4. Coloque as palavras da caixa na coluna adequada.

~~antigo~~ / apanhar / apartamento / barato / bilhete / caro / comprar / confortável / demorar / ser / estar /
/ estação / faculdade / histórica / lojas / máquina / morar / precisar / sair / simpático / ter / viagens

nomes	adjetivos	verbos
	antigo	

5. Complete o texto com as palavras do exercício anterior. Faça as alterações necessárias.

O Danilo é brasileiro e _____ em Portugal há um ano. Ele é um rapaz muito _____.

O Danilo _____ num apartamento na zona _____ da cidade. O _____ é <u>antigo</u>, mas _____. Fica perto do metro e tem muitas _____ à volta.

Hoje, o Danilo _____ de ir para a faculdade e _____ de apanhar o metro.

Danilo: Desculpe, preciso de _____ um _____ para o metro. Sabe onde posso comprar?

Senhora: Sim, sei. O senhor compra o bilhete aqui dentro da _____ de metro, numa _____. Depois, carrega o bilhete com as _____.

Danilo: É muito _____?

Senhora: Não, é _____.

Danilo: Mais uma coisa... Que metro vai para a _____ de Letras?

Senhora: O senhor tem de _____ o metro da linha amarela e _____ na Cidade Universitária.

Danilo: E é rápido?

Senhora: Sim, sim. O metro _____ cerca de quinze minutos.

Danilo: Muito obrigado.

Senhora: De nada. Bom dia.

6. Escreva a pergunta correta para cada resposta.

1. De onde é?	É do Brasil.
2. _____ ?	Mora num apartamento.
3. _____ ?	É um apartamento antigo.
4. _____ ?	Vai para a faculdade.
5. _____ ?	Pode comprar na máquina.
6. _____ ?	Demora cerca de quinze minutos.

1. Coloque as palavras da caixa na coluna adequada.

bancos / bilhete (2x) / bilheteira / carruagem / máquina /
/ maquinista / painel de informação / passageiro / revisor / vagão-restaurante

pessoas	na estação	no comboio
		bancos

2. Complete o texto com as palavras do exercício anterior.

O Manuel vai viajar de comboio para Aveiro. Ele pode comprar o _____

na _____ ou na _____.

Para saber os horários dos comboios, o Manuel tem de ler o _____.

O Manuel prefere viajar na _____ que fica perto do _____

para poder comer durante a viagem.

Quando o comboio chega, os _____ entram, sentam-se nos <u>bancos</u>

e o _____ pede o bilhete para validar.

O _____ inicia a viagem e o comboio chega duas horas depois.

3. Descubra as cinco palavras relacionadas com o vocabulário do exercício anterior.

IOBCOMO	ETELBIH	CANOSB	SOIRREV	SORIEGAPAS

4. Leia as frases do diálogo e coloque-as por ordem (1 a 10).

O Manuel tem de viajar para o Norte de Portugal. Ele vai visitar os pais a Aveiro e precisa de estar lá antes da hora de almoço.

Na estação de comboios…

1 **Manuel: Bom dia. Sabe dizer-me onde fica a bilheteira, por favor?**

☐ Empregado: Bom dia. Posso ajudar?

☐ **Empregado:** A viagem demora cerca de duas horas. O senhor chega lá ao meio-dia e treze minutos.

☐ **Manuel:** Muito bem. Então, quero um bilhete. Quanto é?

☐ **Senhora:** Sim, com certeza. Fica do outro lado da estação, perto da entrada.

☐ **Empregado:** O próximo comboio parte às dez horas e nove minutos. É o comboio rápido, o Alfa.

☐ **Manuel:** Sim. Eu queria saber a que horas parte o próximo comboio para Aveiro.

☐ **Empregado:** São vinte e sete euros e dez cêntimos.

☐ **Manuel:** E quanto tempo demora a viagem?

☐ **Manuel:** Aqui está. Muito obrigado.

5. Escreva a pergunta correta para cada resposta.

1. Para onde vai o Manuel?

   O Manuel vai para Aveiro.

2. _____?

   Ele vai de comboio para Aveiro.

3. _____?

   O Manuel vai comprar o bilhete de comboio na bilheteira.

4. _____?

   A bilheteira fica perto da entrada da estação de comboios.

5. _____?

   O comboio parte às dez horas e nove minutos.

6. _____?

   A viagem demora cerca de duas horas.

7. _____?

   Não, não vai apanhar o comboio Intercidades. O Manuel vai apanhar o comboio Alfa.

8. _____?

   O bilhete de comboio custa vinte e sete euros e dez cêntimos.

6. Complete o texto com as preposições da caixa (contraídas ou não com o artigo).

de / a / para / em

O Manuel vai _____ Aveiro para visitar os pais.

Ele sai _____ Lisboa cerca _____ dez horas e chega

_____ Aveiro duas horas depois.

O Manuel dirige-se _____ bilheteira e compra o bilhete

_____ comboio _____ Aveiro.

Depois de comprar o bilhete, o Manuel vai _____ pé _____

a carruagem. Ele entra _____ carruagem e senta-se _____

banco perto _____ janela.

O Manuel lê o jornal durante a viagem e chega _____ Aveiro

_____ volta do meio-dia.

A viagem _____ Manuel é rápida e confortável.

7. Leia novamente o Texto A e o Texto B da Unidade 7 do Livro do Aluno (página 88) e complete o texto com as palavras da caixa.

almoçar / apanhar / bilheteira / chega / conveniente / de / / deseja / estar / informações / jornal / mesmo / regressar

O Lars _____ ir para ao Porto porque tem _____ escrever um artigo para um _____ sueco.

O Lars acha que o transporte mais _____ é o comboio e, por isso, vai de comboio para lá.

Quando _____ à estação de comboios, ele dirige-se à _____ para comprar o bilhete, mas também

precisa de algumas _____.

O Lars quer _____ no Porto às duas da tarde, então ele prefere _____ o comboio das nove e

cinquenta.

O comboio que o Lars vai apanhar tem carruagem-restaurante e ele vai _____ durante a viagem.

O Lars vai _____ a Lisboa no _____ dia à tarde.

1. Coloque as palavras do quadro junto da divisão da casa a que pertencem.

armários de casa de banho	fogão	papel higiénico
armários de cozinha	forno	poltrona
autoclismo	frigorífico	pratos
bancos	guardanapos de papel	quarto
bidé	lava-louça	roupeiro
cadeiras	lavatório	sala
cama	máquina de lavar louça	sanita
candeeiro	mesa de cabeceira	sofá
casa de banho	mesa de cozinha	talheres (garfos, facas e colheres)
cómoda	mesa de refeições	toalhas de cara e de banho
copos	micro-ondas	toalheiros
cozinha	móvel para televisão	televisão
espelho	panelas e tachos	prateleira

1. _____
_____
_____
_____
_____
_____
_____

2. _____
_____
_____
_____
_____
_____
_____

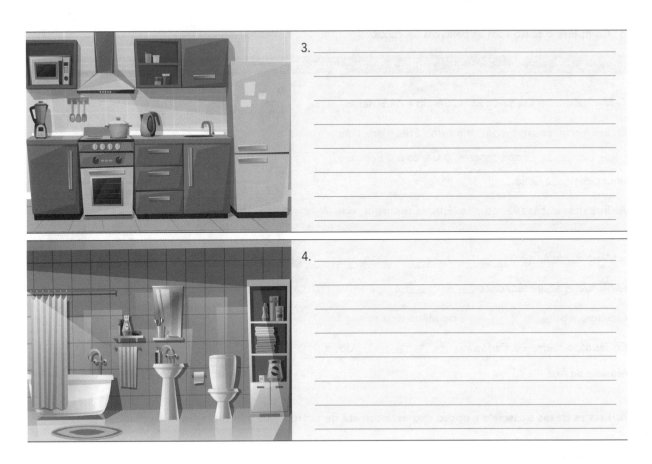

3. _____
_____
_____
_____
_____
_____
_____

4. _____
_____
_____
_____
_____
_____
_____

2. Complete as frases com palavras do exercício anterior.

A Rita é uma rapariga solteira e vive num apartamento perto da cidade.

Ela está em casa e são seis da tarde.

1. A Rita vai para a sala e senta-se na _____. A sala da Rita é grande e tem uma _____ com muitos livros. Tem uma _____ onde ela janta e quatro _____ confortáveis. A Rita tem também um _____.

2. A Rita está no quarto. Amanhã é terça-feira e ela tem aulas. Ela vai tirar a roupa do _____ e da _____. Depois, ela deita-se na _____ e vai ler o livro que está na _____.

3. É quarta-feira e a Rita acorda cedo. Ela vai para a casa de banho e senta-se na _____. Depois, toma banho na _____ e tira uma _____ do _____ para se limpar.

4. A Rita sai da casa de banho e vai para a cozinha para tomar o pequeno-almoço. Ela tira um _____ para o leite e aquece o leite no _____. Depois tira o queijo e a manteiga do _____ e prepara uma sandes. Quando acaba o pequeno-almoço, ela lava tudo no _____.

3. Complete o texto com as palavras da caixa.

filha / filho / filhos / netos / ~~pais~~ / primos / tio

O Manuel e a Sara são os <u>pais</u> do Sérgio e da Susana.

O Sérgio é casado com a Paula. Eles têm três _____: dois rapazes, o Carlos e o Pedro, e uma rapariga, a Carla.

A Susana é casada com o Rui. Eles têm um _____ e uma _____, o Mário e a Ana.

O Manuel e a Sara têm cinco _____.

O Sérgio é o _____ do Mário e da Ana.

O Carlos, o Pedro e a Carla são _____ do Mário e da Ana.

4. Leia as frases e assinale a opção que está correta de acordo com a informação dada.

Ana

idade: vinte e cinco anos

peso: sessenta e três quilos

altura: um metro e sessenta e um

cabelo: médio

Zita

idade: vinte e oito anos

peso: sessenta e um quilos

altura: um metro e sessenta e um

cabelo: comprido

1. A Ana e a Zita são primas, mas a Ana é **mais nova/mais velha** do que a Rita.

2. A Zita é **mais pesada/mais leve** do que a Ana.

3. A Zita é **tão alta como/menos alta do que** a prima.

4. A Zita tem o cabelo **menos curto/menos comprido** do que a prima.

1. Assinale a palavra que não pertence a cada grupo.

1. concerto / músico / bilhete / cinema
2. cinema / sala / cantor / pipocas
3. teatro / concerto / ator / palco

2. Procure na sopa de letras, na horizontal e na vertical, seis palavras do exercício anterior.

U	R	U	G	U	A	V	P	T	B
X	T	C	I	N	E	M	A	O	R
A	E	O	P	A	N	L	A	G	S
T	H	N	T	G	L	H	O	V	A
É	H	C	S	U	J	O	P	F	L
G	T	E	A	T	R	O	I	B	A
M	T	R	P	X	G	A	P	R	L
R	N	T	E	O	R	U	O	O	L
S	T	O	R	T	G	H	C	D	Ç
G	I	E	L	B	U	V	A	D	R
T	M	Ú	S	I	C	O	S	U	K
Y	O	C	H	P	N	A	A	S	N

3. Leia as frases do diálogo e coloque-as por ordem (1 a 8).

1	**Beatriz:**	**Filipe, queres ir ao cinema?**
☐	**Filipe:**	Gostava de ir a um concerto ao ar livre. Há um espetáculo de música clássica ao ar livre amanhã.
☐	**Beatriz:**	Porquê?
☐	**Filipe:**	Não, não me apetece nada.
☐	**Beatriz:**	Olha, boa ideia. Adoro ouvir música clássica e o tempo está ótimo!
☐	**Filipe:**	Porque detesto salas escuras. Prefiro estar ao ar livre.
☐	**Filipe:**	Muito bem. Então, está combinado. Vou comprar os bilhetes na internet. Assim, consigo um preço mais baixo.
☐	**Beatriz:**	Então, o que é que queres fazer?

4. Depois de ler o diálogo do exercício anterior, assinale se as frases são verdadeiras (V) ou falsas (F). Depois, corrija as frases erradas.

1. A Beatriz convida o Filipe para ir ao cinema.	☐
2. O Filipe quer ir ao cinema.	☐
3. Ele prefere ir ao teatro.	☐
4. O Filipe quer ouvir música.	☐
5. Ele faz uma sugestão e a Beatriz não aceita.	☐
6. Eles vão a um espetáculo de música ao ar livre.	☐
7. O Filipe vai comprar os bilhetes na bilheteira.	☐
8. A Beatriz não gosta de música clássica.	☐

1. _____

2. _____

3. _____

4. _____

5. _____

6. _____

7. _____

8. _____

5. Complete o texto com as palavras da caixa.

casa / chegam / clássica / concerto / contente / estão / ~~estão a~~ / fila /
/ gosta / lazer / lugares / metro / prefere / tem / têm de / vão

Hoje é sábado, e, neste momento, a Beatriz e o Filipe <u>estão a</u> sair de _____. Eles _____

a um _____ de música _____ ao ar livre.

A Beatriz _____ de cinema, mas o Filipe _____ atividades de _____ ao ar livre.

O Filipe está muito _____ porque ele já _____ os bilhetes.

Eles _____ chegar muito cedo por causa dos _____.

O concerto vai ser num jardim no centro da cidade, e eles vão para lá de

_____.

Quando _____, ainda não _____ muitas pessoas e eles ficam na _____ da frente. Que sorte!

6. Assinale a opção correta.

1. Como **sente-se/se sente**, Paulo?

2. Ela não **se senta/senta-se** na cadeira. Prefere o sofá.

3. Eu nunca **deito-me/me deito** tarde durante a semana.

4. Ela **levanta-se/se levanta** muito cedo para ir para a faculdade.

5. Ele **se sente/sente-se** bem?

6. Nós também **nos esquecemos/esquecemo-nos** do teste.

7. Como **se chama/chama-se** esta rua?

8. Ninguém **lembra-se/se lembra** daquela colega.

9. A que horas **te levantas/levantas-te**, Ana?

10. Todos **se calam/calam-se** quando o professor entra na sala de aula.

11. Ela **preocupa-se/se preocupa** sempre com os amigos quando eles chegam tarde.

12. Quando é que ela **se levanta/levanta-se** do sofá?

13. Ela nunca **veste-se/se veste** antes do pequeno-almoço.

14. Nós **deitamo-nos/nos deitamos** cedo porque temos sono.

15. A Sara nunca **se penteia/penteia-se**. Está sempre despenteada.

16. O Carlos não **se barbeia/barbeia-se** todos os dias.

17. Podes **maquilhar-te/te maquilhar** sozinha, Ana?

18. O bebé descalçou-se, mas a mãe não **zangou-se/se zangou** com ele.

1. Complete as frases com as palavras da caixa.

> cachecol / calções de banho / camisa / camisola de lã / camisola de manga curta / casaco comprido /
> / chapéu de chuva / chinelos / fato / gravata / luvas / sapatos de salto alto / vestido de fazenda

1. Amanhã, o Ricardo vai trabalhar no escritório. Ele veste sempre a mesma roupa, pois trabalha num banco e tem de usar roupa formal.

   O Ricardo veste um _____, uma _____ e uma _____.

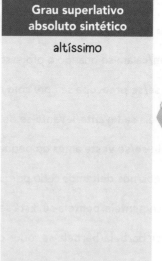

2. Estamos no outono, e a Gabriela tem uma festa hoje à noite. Ela vai usar um _____ e um _____ e calçar uns _____.
   Como vai chover, ela vai levar um _____.

3. Estamos no verão, e hoje está muito calor. O André vai à praia com os amigos.

   Ele veste uns _____ e uma _____ e calça uns _____.

4. A Patrícia detesta o inverno, e hoje o dia está muito frio. Ela tem de ir ao supermercado, por isso veste uma _____, um _____ e põe umas _____.

2. Coloque os adjetivos no grau superlativo absoluto.

Grau normal	Grau superlativo absoluto analítico	Grau superlativo absoluto sintético
alto	muito alto	altíssimo
simpático		
grande		
elegante		
fácil		
mau		
bom		
baixo		
caro		

3. Complete as frases com os adjetivos na forma correta.

1. A Sara é uma rapariga _____. (alto)

2. Estas casas são _____. (enorme)

3. O Luís e o Pedro são _____. (baixíssimo)

4. A dona Maria é _____. (muito falador)

5. Esta sopa está muito salgada. Está _____! (péssimo)

6. Os pastéis de nata são _____. (muito bom)

7. Os exercícios são _____. (fácil)

8. O Mário é _____, mas o irmão é _____. (muito atlético / gordo)

4. Leia as frases do diálogo e coloque-as por ordem (1 a 6).

Hoje está um dia muito bonito e a Rute e a Sara querem ir lanchar a uma esplanada.

1 **Rute: Sara, gostava de ir lanchar numa esplanada. Está um dia tão bonito! Que tal?**

☐ Sara: É uma ótima ideia. O dia está quente, e, assim, apanhamos sol.

☐ Rute: Podemos ir àquela esplanada que fica no jardim, perto do lago.

☐ Rute: E como vamos para lá?

☐ Sara: Parece-me uma excelente ideia. Onde vamos?

☐ Sara: Podemos apanhar um elétrico aqui perto.

5. Complete o texto com as palavras da caixa.

> bolos / calor / comer / conversam / desejar / favor / fresco /
> / gelo / gosto / nata / naturais / salgados / trago

Na esplanada, a Sara e a Rute _____ com o empregado.

Empregado: Boa tarde. O que vão _____?

Sara: Nós estamos com _____; queríamos beber um sumo _____. O que é que têm?

Empregado: Nós temos sumos de fruta _____: laranja, maçã, papaia e ananás.

Rute: Eu quero um sumo de laranja com _____.

Sara: E eu queria um sumo de papaia.

Empregado: E para _____? Nós temos uns _____ muito bons e _____ maravilhosos.

Rute: Eu vou comer um pastel de _____ e um croquete.

Sara: Eu não _____ de salgados; prefiro bolos. Eu vou comer uma bola de Berlim, se faz

_____.

Empregado: Muito bem. _____ já.

6. **Leia novamente o Texto D da Unidade 10 do Livro do Aluno (página 122) e complete o diálogo com as palavras da caixa.**

aquele / bom / desse / esse / esta / este / fica / querer

Na pastelaria, o empregado mostra alguns alimentos ao Nuno e à Marta.

Empregado: _____ sandes aqui tem fiambre, alface e tomate.

_____ pão é de cereais.

Nuno: E _____ bolo ali? Como se chama?

Empregado: É o pão-de-deus. Tem coco e _____ muito

_____ com manteiga e fiambre.

Vai _____?

Nuno: Não. Vou comer _____ pastel de nata aí.

Gosto muito _____ bolo.

Empregado: Muito bem.

1. Encontre cinco nomes próprios mencionados na Unidade 11 do Livro do Aluno. Se necessário, coloque os acentos.

AOGL	ACMRO	RIAMANA	LANAEG	MITAAF

2. Qual é a forma verbal que não pertence a este grupo?

dormi / trabalhou / acordou / moro / fomos / estive / fui

3. Procure na sopa de letras, na horizontal e na vertical, oito formas verbais no passado (Pretérito Perfeito Simples).

A	S	C	F	T	G	B	T	P	M
B	M	F	O	M	O	S	E	A	I
V	O	F	I	L	P	F	V	R	V
X	R	L	O	E	X	C	E	T	U
Z	E	Ç	B	E	B	I	H	I	C
R	I	Q	P	Z	U	F	N	U	O
E	S	T	I	V	E	M	O	S	M
F	K	W	D	A	S	M	W	T	E
V	H	R	Q	U	K	E	Y	O	U
E	Y	U	L	P	O	X	R	S	M

4. Escreva uma legenda para cada imagem. Siga o exemplo.

1. Ir ao cinema

a) **Hoje, vou** ao cinema.
b) **Ontem, fui** ao cinema.

2. Ir à casa da minha avó

a) Hoje _____
_____
b) Ontem _____
_____

3. Ler as notícias no telemóvel

a) Hoje _____

_____

b) Ontem _____

_____

4. Beber um café

a) Hoje _____

_____

b) Ontem _____

_____

5. Apanhar o elétrico

a) Hoje _____

_____

b) Ontem _____

_____

5. **Tendo em conta a informação do quadro, faça perguntas e dê respostas. Siga o exemplo.**

1.	Ontem	ele comprou	um chapéu.
2.	Anteontem	a Ana foi	à praia.
3.	Na semana passada	nós fomos	ao restaurante.
4.	No verão passado	nós estivemos	no Algarve.
5.	Hoje de manhã	ela comeu	um bolo.
6.	Ontem à tarde	o Pedro bebeu	um galão.

1. Exemplo: O que é que ele comprou ontem? / Ele comprou um chapéu.

2. _____

3. _____

4. _____

5. _____

6. _____

6. Faça a correspondência.

1. Já foste aos Açores?	a) Não. Acho que ficou em casa.
2. Compraste os bilhetes para o concerto?	b) Ainda não. Vou tomar agora.
3. Tiveste boa nota no teste de Matemática?	c) Não, mas vou nas próximas férias.
4. Encontraste o livro?	d) Não. Esqueci-me completamente.
5. Já tomaste café?	e) Nem por isso.

7. Imagine que visitou a Serra da Estrela no ano passado. Utilizando vocabulário apresentado na Unidade 11 do Livro do Aluno, conte como foi para lá, com quem foi, o que visitou, o que gostou e não gostou, quantos dias ficou, etc.

_____

_____

_____

_____

_____

_____

_____

8. Complete as frases com as palavras da caixa.

amena / provaste / almoçar / durante

1. Correu tudo bem _____ as férias?

2. Amanhã, queres _____ comigo?

3. _____ a comida local?

4. Em maio, a temperatura está mais _____.

1. Complete o diálogo com as palavras da caixa.

minutos / alugar / sair / acordaste / estás / pequeno-almoço

Pedro: Bom dia! Como _____? Já _____?

Maria: Olá, Pedro. Estou a tomar o _____.

Pedro: Vamos ver aquele quarto que tu queres _____?

Maria: Sim. Espera só quinze _____. Vou já _____ de casa.

2. Procure na sopa de letras, na horizontal e na vertical, cinco atividades que pode fazer ao ar livre.

B	P	A	R	A	P	E	N	T	E	D	O
X	T	Ç	D	H	M	Z	X	S	W	I	C
A	F	U	T	E	B	O	L	O	D	A	O
T	H	R	T	G	L	L	J	A	Q	U	R
É	J	C	I	C	L	I	S	M	O	Ã	R
N	O	Z	J	A	I	A	M	A	N	H	I
I	L	E	L	B	U	V	R	R	T	U	D
S	B	R	I	G	A	D	O	A	O	L	A

3. Assinale a expressão que não pertence a cada grupo.

1. Bom dia. Estás boa? / Desculpe, foi engano. / Quanto custa?

2. Que horas são? / A Ana está? / Vou chamar.

3. Olá, Miguel! / A conta, por favor! / Até amanhã!

4. Quem fala? / Estou? / Desculpe! Onde fica esta rua?

4. Leia as frases do diálogo e coloque-as por ordem (1 a 7).

☐ **Luís:** Olha, ontem falei com a minha prima, a Eva, e ela pediu-me o teu número. Posso dar-lhe o teu contacto?

☐ **Mariana:** Sim, claro. Gosto muito dela.

☐ **Mariana:** Tudo bem. Há muito tempo que não me telefonavas!

☐ **Luís:** Olá, Mariana! Como estás?

☐ **Luís:** Boa! Vou ligar à Eva!

☐ **Luís:** Podemos ir jantar juntos mais logo. O que achas?

☐ **Mariana:** Acho uma excelente ideia. Assim, podemos pôr a conversa em dia, não é?

5. Complete o texto com as formas verbais corretas.

1. No fim de semana passado, _____ (eu / resolver) fazer um programa diferente do habitual. _____ (decidir) explorar algumas das praias da região de Setúbal, mais concretamente as praias da Serra da Arrábida. Assim, no sábado, _____ (começar) a manhã na Praia de Galapos, considerada a melhor praia da Europa em 2017. Entre o azul intenso do mar, o verde fresco da serra e a areia branca e luminosa, _____ (descobrir) o paraíso! Depois, _____ (ir) almoçar à beira-mar, no Portinho da Arrábida.

2. No dia seguinte, fiz uma viagem de barco à vela com mais algumas pessoas para ver os golfinhos. _____ (nós / conseguir) ver um grupo de golfinhos que, segundo o nosso guia, são residentes habituais do Estuário do Sado. _____ (ficar) maravilhado!

3. Para terminar o dia, _____ (jantar) peixe grelhado em Setúbal e _____ (beber) um delicioso vinho Moscatel. _____ (ser) um fim de semana maravilhoso!

6. Faça a correspondência entre os parágrafos do texto do exercício anterior (1–3) e as imagens (a–c).

a) ☐   b) ☐   c) ☐

7. Complete as frases com as palavras da caixa.

> intenso / fresco / luminoso / habitual / delicioso / maravilhoso

1. O sol torna tudo mais _____.

2. Foi _____ voltar a encontrar a minha amiga de infância.

3. No verão, gosto de beber sumo de laranja muito _____.

4. Ontem, a temperatura subiu até aos 39 °C. Foi um dia de calor _____!

5. Não é _____ ir a Setúbal. Ontem, foi a segunda vez.

6. Comi um pudim _____ como sobremesa.

8. Assinale a palavra correta.

1. Desculpe, mas é **erro/engano**. Aqui é uma casa **particular/privada**.

2. Queria **telefonar/falar** com a Sara.

3. Bom dia. O Pedro **é/está** em casa?

4. Regressei a Lisboa no domingo **à tarde/de tarde**.

5. Ela fez compras antes de **foi/ir** para casa.

9. Ordene as palavras de modo a formar frases corretas.

1. agora / mora / é que / a Luísa / onde

_____

2. atrasada / a Sara / chega / ao trabalho / sempre

_____

3. gosta / morar / de / o João / muito / em Lisboa

_____

10. Complete o quadro com as palavras da mesma família.

verbo	nome
explorar	
	o programa
descobrir	
encontrar	
	o grupo
beber	
repetir	

1. **Qual é a situação correta? Faça a correspondência.**

1. Queres vir à pastelaria comigo?	a) recusar um convite
2. Que pena, não posso.	b) felicitar alguém
3. Muitos parabéns!	c) convidar alguém
4. Acho muito bem!	d) aceitar uma sugestão
5. Podíamos ir ao museu. O que achas?	e) fazer uma sugestão

2. **Assinale a opção correta.**

1. Laura, amanhã à tarde **gostaste/gostavas** de ir ao teatro?

2. Eu **preferia/preferiu** ir ao cinema. Não gosto muito de teatro.

3. Não **gostas/gostavas** porque não compreendes bem português.

4. Isso é verdade! Mas **gosto/gostava** de experimentar um dia destes.

3. **Complete o quadro com a forma correta dos pronomes pessoais. Siga o exemplo.**

Eu vou		tu	contigo	ao cinema.
1. O João foi		eu		ao dentista.
2. O Pedro foi		nós		à praia.
3. Eu vou	com +	você		à secretaria.
4. A Ana vai		vocês		às compras.
5. Nós vamos		ele		ao hospital.
6. Tu vais		ela		à escola.

4. Complete o texto com as palavras da caixa.

> sábado / maduro / podia / queria / encomendar / pacote / quilo

Dona Lídia,

Para amanhã, _____ três pães integrais e um _____ de leite de soja. _____ guardar-me também um _____ de pêssegos e um melão bem _____? Não se esqueça de _____ um frango assado para o próximo _____.

Muito obrigada.

Laura Simões

5. Leia as três mensagens e complete o quadro abaixo.

Mensagem 1

Caro Presidente,

Ontem assisti ao jogo do nosso clube e verifiquei que, por causa do calor, várias pessoas se sentiram mal e foram-se embora antes de o jogo terminar. Foi uma pena!

Tenho uma sugestão a fazer. Porque não arranjam uma solução para fazer sombra e dar mais conforto aos adeptos?

Com os meus cumprimentos,

Carlos Antunes

Mensagem 2

Olá, Joana.

Gostei muito de te ver ontem. Como não tivemos muito tempo para falar, queria convidar-te para um jantar em minha casa no próximo sábado, às 19 horas. Achas boa ideia?

Muitos beijinhos,

Clara

Mensagem 3

Querido amigo,

Foi com grande alegria que vi no *LinkedIn* que já és diretor da empresa.

Queria dar-te os parabéns pelo teu novo lugar e desejar-te muito sucesso na tua carreira profissional.

Um abraço,

Pedro Andrade

	Mensagem 1	Mensagem 2	Mensagem 3
Iniciar correspondência			
Saudação final de correspondência			
Objetivo da mensagem			

42

6. **Escreva uma resposta para cada mensagem do exercício anterior.**

Mensagem 1

_____

_____

_____

_____

_____

_____

_____

Mensagem 2

_____

_____

_____

_____

_____

_____

_____

Mensagem 3

_____

_____

_____

_____

_____

_____

_____

_____

1. **Assinale se as frases são formais (F) ou informais (I).**

1. Dá-me licença?	☐
2. Faça favor.	☐
3. Nem pensar.	☐
4. Podes.	☐
5. Não. Agora não pode.	☐

2. **Ordene as palavras de modo a formar frases corretas.**

1. passou / no / o fim de semana / a Maria / Algarve

_____

2. parou / farmácia / de repente / o táxi / em frente da

_____

3. aos correios / enviar / a Susana / vai / uma encomenda

_____

4. dá-me / para / licença / professor / falar

_____

3. **Complete as frases com as palavras da caixa.**

mesa / gato / sofá / supermercado / Austrália / jardim

1. O cão está a brincar no _____.

2. O _____ fica ao lado do banco.

3. O computador está em cima da _____.

4. A _____ fica longe de Portugal.

5. O _____ está em frente da janela.

6. As crianças estão sentadas no _____.

4. Faça a correspondência entre as frases (1–4) e as imagens (a–d).

1. O gato está no colo da Maria.	☐
2. Dá-me licença para falar?	☐
3. Posso entrar, senhor diretor?	☐
4. O cão está ao lado do dono.	☐

a)

b)

c)

d)

5. Responda às perguntas usando as preposições ou locuções prepositivas de lugar.

1. Onde fica o seu jardim favorito?

_____

2. Onde fica a sua cidade favorita?

_____

3. Onde fica a sua praia favorita?

_____

6. Descreva a localização de cada objeto da imagem. Siga o exemplo.

Exemplo: <u>O vaso está por baixo dos livros.</u>

1. O sofá _____.

2. Os livros _____.

3. O relógio _____.

4. Os quadros _____.

5. O candeeiro _____.

6. A mesa _____.

7. O vaso _____.

7. Qual é o antónimo (≠) de:

1.	≠	desarrumado
2.	≠	encontrar
3.	≠	em cima da mesa
4.	≠	desorganizado
5.	≠	Ele está atrasado.

8. Complete o quadro com as palavras da mesma família.

verbo	nome
trabalhar	
desarrumar	
	as compras
	o encontro
	o arquivo
necessitar	
enviar	

9. Complete as frases com os verbos _ser, estar_ ou _ficar_ na forma correta.

1. A praia _____ longe da cidade.

2. O meu passe _____ no bolso do casaco.

3. O gato _____ em cima da mesa.

4. O jardim _____ perto da escola.

5. A estação de comboio _____ no centro da cidade.

6. Os livros _____ na mochila.

7. O quadro _____ na parede.

1. Faça a correspondência entre as frases (1–4) e as imagens (a–d).

1. Sabe dizer-me se vou na direção correta?	☐
2. Vai em frente e vira na primeira à esquerda.	☐
3. Pode apanhar o elétrico para o castelo.	☐
4. O aeroporto é longe. Tem de apanhar o autocarro.	☐

a)

b)

c)

d)

2. Complete o diálogo com as palavras da caixa.

fica / desculpe / jardim / rotunda / em frente / esquina / vira

Senhora: Bom dia, _____. Podia dizer-me onde _____ a escola de enfermagem?

Ana: Com certeza. Primeiro, atravessa aquele _____. Está a ver aquelas palmeiras? Depois, segue _____ até à _____.

Senhora: E, na rotunda, por onde vou?

Ana: Na _____ há um café. _____ aí, e a escola é mesmo em frente.

Senhora: Muito obrigada. Foi muito simpática!

3. Ordene as palavras de modo a formar frases corretas.

longe do / o hospital / fica / da cidade / centro

1. _____

muito / uma paragem / pastelaria / há / perto da

2. _____

posso / como / a escola de música / ir / para

3. _____?

4. Leia o texto e complete as frases com o Imperativo.

A Sara e a Carla são irmãs. Uma manhã…

Carla: Despacha-te, Sara! Estás sempre atrasada! Anda lá!

Sara: Não te enerves, está bem? Olha, liga a máquina do café enquanto eu me visto.

Carla: Eu não acredito! Bebe o café na estação! Vamos perder o comboio por tua causa.

Sara: Chama um táxi e desce. Eu vou já para baixo. Onde está a minha carteira?

Carla: Não te atrases, por favor. Nunca mais viajo contigo!

Sara: Acalma-te e sorri. Ficas mais gira!

1. _____, João! Já é muito tarde. _____ lá!

2. Não te _____, ok? Gostava de tomar um café antes de irmos embora.

3. Não é possível. _____ o café no caminho.

4. Então, _____ um táxi. Eu vou já.

5. Não te _____! Já são 9 horas.

6. Está bem. _____! Estás sempre tão nervoso!

5. Qual é o antónimo (≠) de:

1. atrasado	≠	
2. enervar-se	≠	
3. ligar	≠	
4. vestir-se	≠	
5. nervoso	≠	
6. descer	≠	

6. Faça a correspondência entre os textos (1–4) e as imagens (a–d).

1. Adoro montar a cavalo e sou professora de equitação. ☐

2. Sou treinadora de cães e tenho uma escola de obediência para cães. ☐

3. Sou bióloga marinha e estudo os cetáceos dos Açores. ☐

4. Nos meus tempos livres adoro fazer escalada. ☐

7. Passe as frases para a forma negativa do Imperativo. Siga o exemplo.

1. **Bebe** muita água.	**Não bebas** muita água!
2. Atravessa a rua na passadeira.	
3. Põe o lixo no caixote.	
4. Lê livros nas férias.	
5. Ajuda os teus amigos.	
6. Faz os trabalhos de casa.	
7. Tem pensamentos positivos.	

1. Faça a correspondência.

1. Queria marcar uma consulta.	a) Não, ainda tenho dores.
2. Está melhor?	b) Há três dias.
3. O que lhe dói?	c) Quantas vezes ao dia?
4. Há quanto tempo está assim?	d) Para que dia deseja marcar?
5. Tem febre?	e) Dói-me a garganta.
6. Vai tomar este antibiótico.	f) Tenho 39 ºC.

2. Faça a correspondência entre as frases (1–8) e as imagens (a–h).

1. Dói-me a barriga. ☐

2. Dói-me a garganta. ☐

3. Dói-me a mão. ☐

4. Dói-me o pé. ☐

5. Doem-me os dentes. ☐

6. Doem-me os ouvidos. ☐

7. Dói-me a cabeça. ☐

8. Estou constipada. ☐

3. Complete as frases com as palavras da caixa.

garganta / antibiótico / tem / doente / febre / médico / há

1. O João foi ao _____.

2. O João está _____.

3. O João está com _____.

4. O João tem dores de _____.

5. O João foi à farmácia comprar um _____.

6. O João está doente _____ semana.

7. O João _____ tosse.

4. Procure na sopa de letras, na horizontal e na vertical, cinco palavras referentes ao corpo humano.

O	F	P	É	S	U	J	K	A
E	B	O	R	L	A	F	U	L
C	D	U	F	O	I	L	P	Q
B	Q	V	V	M	Ã	O	S	X
I	A	I	H	Ç	E	G	D	I
A	Z	D	E	N	T	E	S	P
F	C	O	K	P	A	R	E	S
P	V	S	M	B	V	R	U	O
O	B	A	R	R	I	G	A	C
R	O	L	J	G	K	T	N	B

5. Ordene as palavras de modo a formar frases corretas.

fez / a Maria / ao sangue / análises / várias

1. _____

comprou / o João / na farmácia / medicamentos / muitos

2. _____

dor de garganta / ela / febre / e / tem

3. _____

6. Leia as frases do diálogo e coloque-as por ordem (1 a 8).

☐ Vamos lá ver isso! Dói-lhe aqui?

☐ Então, qual é o problema?

☐ Acho que é melhor fazer uma radiografia.

☐ Bom dia, senhor doutor.

☐ Ontem caí numas escadas e doem-me as costas.

☐ Acho que não. Provavelmente vai ter de fazer fisioterapia.

☐ Sim, sim. Dói-me muito!

☐ Acha que parti alguma coisa?

7. Preencha o crucigrama com as palavras da caixa.

médico / medicamento / febre / antibiótico / farmácia

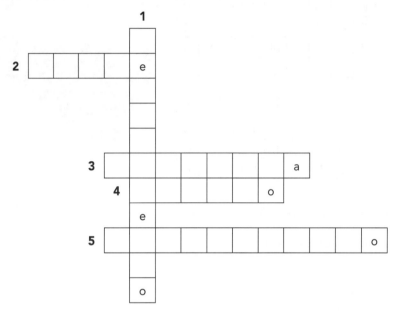

8. Assinale a opção correta.

1. Queria marcar uma **visita/consulta** com a Dra. Inês.

2. Tem de **encher/preencher** este formulário, por favor.

3. Gostava de **agendar/marcar** uma consulta para amanhã.

4. Já não temos **vagas/tempo livre** para amanhã.

5. Hoje, o médico está muito **retardado/atrasado**.

6. O **escritório/consultório** do Dr. Martins fica na Baixa.

9. Complete as frases com as palavras da caixa.

pés / costas / barriga / pescoço / cabeça / dentes

1. A Ana passou muitas horas seguidas a trabalhar no computador. Agora dói-lhe o _____.

2. Comi alguma coisa que me fez mal. Dói-me tanto a _____.

3. A cama do hotel era péssima. Doem-me tanto as _____.

4. Ontem, andámos muitos quilómetros a pé pela cidade. Doem-me imenso os _____.

5. Não posso comer nada gelado porque me doem os _____.

6. Não fales tão alto que me dói a _____.

1. Faça a correspondência entre as frases (1–5) e as imagens (a–e).

1. Na semana passada, reservei o voo e o hotel para a Madeira pela Internet. ☐

2. Queria um quarto com vista para o mar, mas já estavam todos esgotados. ☐

3. Tive de esperar mais de duas horas no aeroporto porque a hora do voo foi alterada e fiquei muito aborrecida. ☐

4. Quando cheguei à Madeira, fiquei mais de uma hora à espera da mala que nunca chegou! ☐

5. Quando cheguei ao aeroporto da Madeira, aluguei um carro para visitar a ilha. ☐

2. Tendo por base as frases do exercício anterior, conte o que aconteceu à Maria.

_____

_____

_____

_____

_____

_____

3. Assinale a opção correta.

1. Telefonei para uma empresa de **aluguer/alugar** de carros.

2. O voo está **retardado/atrasado**.

3. Eles compraram os bilhetes numa **agência de serviços/agência de viagens**.

4. Ela **preferia/gostava** um quarto com vista para o mar.

5. Ela pediu um quarto **singular/individual** no primeiro andar.

6. Cheguei **a horas/em tempo** ao aeroporto para evitar problemas.

4. Complete as frases com as palavras da caixa.

veste / estejas / fiques / chegues / marca / dês

1. Não _____ atrasado ao aeroporto.

2. _____ o hotel com antecedência.

3. _____ roupa confortável durante a viagem.

4. Não _____ preocupado se o voo se atrasar.

5. Não _____ a tua bagagem a ninguém.

6. Não _____ nervoso. Vai correr tudo bem.

5. Leia as frases e coloque-as por ordem (1 a 9).

| 1 | **O Pedro decidiu marcar férias em agosto.** |

☐ Quando chegou a Lisboa, ficou muito surpreendido com o número de turistas na cidade.

☐ O Pedro ficou alojado fora da cidade, numa zona muito barulhenta, longe do aeroporto.

☐ Decidiu ir de comboio.

☐ Nesse mês, Lisboa recebeu um grande evento e os hotéis ficaram todos cheios.

☐ Queria passar uma semana em Lisboa e visitar a cidade e os arredores.

☐ Reservou o lugar, mas esqueceu-se de reservar o hotel.

☐ Da próxima vez que viajar, o Pedro vai planear tudo melhor.

☐ No dia seguinte, ele resolveu ir até ao centro, mas foi muito difícil encontrar um táxi.

6. Passe as frases para a forma afirmativa do Imperativo. Siga o exemplo.

1. **Não reserves** o hotel na véspera da viagem.	**Reserva** o hotel na véspera da viagem.
2. Não viajes com muita bagagem.	
3. Não bebas álcool durante o voo.	
4. Não te esqueças do passaporte.	
5. Não tragas muito dinheiro na carteira.	
6. Não saias sozinho à noite.	
7. Não sejas descuidado com os carteiristas.	

7. **Leia o texto e assinale as formas verbais que se encontram no Imperativo.**

Nestas férias, fique *offline*

Este ano, se vai de férias com a família, tenha a coragem de se distanciar das redes sociais e pense nas pessoas que estão consigo. Conviva com os seus familiares e esqueça o telemóvel. Faça programas interessantes em conjunto, converse sobre o que interessa a cada um. Há quanto tempo não conversa com a sua família durante horas?

Esqueça as fotografias. O que é mais enriquecedor? Tirar fotografias incessantemente, sem realmente ver o que o rodeia, ou olhar com atenção para o que se passa à sua volta? Sabe que o excesso de horas de ligação digital diminui a criatividade e incapacita as competências sociais, tanto das crianças como dos adultos?

Então, neste verão, desligue tudo o que não é verdadeiramente importante. Reduza o tempo que, de facto, precisa de estar ligado. Em vez de enviar mensagens de texto, fale com as pessoas que ama. Mostre às pessoas que lhe são queridas que elas importam. Desligue-se, mantenha o telemóvel longe de si e fique mais perto dos outros.

8. **Faça a correspondência entre as frases (1–10) e os verbos (a–j).**

1. distanciar	a) As crianças estão à volta da mãe.
2. conviver	b) Nós vemos os nossos primos frequentemente.
3. rodear	c) Sentou-se e admirou a paisagem durante horas.
4. esquecer	d) A Joana afastou-se da família.
5. olhar com atenção	e) A Eva cortou a quantidade diária de açúcar.
6. diminuir	f) Não me lembro do meu código postal.
7. incapacitar	g) Dou muito valor aos conselhos da minha avó.
8. precisar (de)	h) O excesso de tecnologia diminui as capacidades sociais.
9. importar-se	i) Ele tem de parar de fumar.
10. manter	j) Conserve a alegria e a calma!

1. Faça a correspondência de forma a propor uma solução para cada reclamação.

1. Que horror! O peixe está mal passado!	a) Tem toda a razão. Vou pedir para a corrigirem.
2. Que desagradável! Tenho uma mosca na sopa!	b) Podia passar melhor?
3. Que aborrecido! Não há ninguém a atender?	c) Desculpe. Eu vou ver se há outra.
4. Falta um botão nesta blusa!	d) Podia tirar daqui este prato?
5. Que chatice! Enganou-se na conta!	e) Pode aguardar um pouco? Eu vou já atendê-lo!

2. Leia o texto e faça frases com o Imperativo. Siga o exemplo.

Em frente da casa da Sofia há um jardim. Os serviços responsáveis pelos parques e jardins estão a fazer um trabalho pouco sério. A relva está seca, há árvores mortas que nunca foram substituídas, alguns bancos estão partidos, há muito lixo, o parque infantil está velho e degradado e algumas pessoas estacionam os carros em cima do passeio. A Sofia está muito aborrecida com esta situação, por isso resolve enviar um *e-mail* para a Câmara Municipal a denunciar a situação e a pedir que resolvam os problemas por ela apresentados.

Imperativo	Imperfeito de cortesia
1. A relva está seca. (regar) **Reguem** a relva.	a) Há dejetos de cão na relva. (colocar) **Podiam colocar** sacos para apanhar os dejetos.
2. As árvores estão mortas. (plantar) _____	b) Os caixotes de lixo estão cheios. (despejar) **Podiam** _____
3. Os bancos estão partidos. (substituir) _____	c) O sistema de rega não funciona bem. (reparar) _____
4. Há muito lixo no chão. (limpar) _____	d) Alguns candeeiros estão partidos. (substituir) _____
5. O parque infantil está velho. (renovar) _____	e) Há pessoas que estacionam em cima do passeio. (multar) _____

3. Tendo em conta o texto anterior, faça a correspondência entre as frases que têm o mesmo significado.

1. O jardim está seco.	a) O espaço das crianças está degradado.	
2. Há pessoas que estacionam o carro no passeio.	b) O espaço verde não tem água.	
3. O parque infantil está velho.	c) O jardim está escuro à noite.	
4. O jardim está muito sujo.	d) Há muito lixo no chão.	
5. Há candeeiros partidos.	e) Há carros mal estacionados.	

4. Imagine que é a Sofia. Escreva um *e-mail* para a Câmara Municipal da sua cidade a denunciar a situação do jardim.

_____
_____
_____
_____
_____
_____

5. Qual é o antónimo (≠) de:

1. seco	≠	
2. morto	≠	
3. velho	≠	
4. cheio	≠	
5. limpo	≠	
6. despejar	≠	

6. Você esteve de férias em cada um dos locais abaixo, mas as férias não correram muito bem. Faça uma legenda para cada imagem.

1. _____
_____

2. _____
_____

3. _____
_____

7. Escreva uma mensagem a um/a amigo/a e conte-lhe como foram as suas férias.

_____

_____

_____

_____

_____

_____

8.

NÃO HÁ PLANETA B

Escreva um slogan contra o uso excessivo do plástico.

_____

_____

_____

_____

1. Complete as frases com o Pretérito Imperfeito do Indicativo dos verbos da caixa.

ser / ter (2x) / vir / pôr / ir / fazer / ver / ler

1. Antigamente, eu _____ a pé para a escola.

2. Dantes, eu _____ os jornais em papel.

3. Naquele tempo, os meus avós _____ visitar-nos.

4. Quando eu _____ criança, a minha mãe não _____ telemóvel.

5. Antigamente, as crianças _____ sempre a mesa.

6. Quando eu _____ 10 anos, _____ muitos trabalhos de casa.

7. Dantes, os meus irmãos _____ muitos desenhos animados.

2. Faça a descrição da casa do Pedro quando ele era criança.

_____

_____

_____

_____

_____

_____

3. Faça a correspondência de forma a completar o sentido das frases.

1. Antigamente,	a) fui à praia.
2. Dantes,	b) costumava ir à praia da Caparica.
3. Ontem,	c) encontrei a Maria.
4. Hoje de manhã,	d) o João era muito gordo.
5. No ano passado,	e) havia poucos carros nas cidades.
6. Há dois dias,	f) deixei de fumar.
7. Naquele tempo	g) acabei de ler um livro magnífico.

4. O que é que a Ana costumava fazer nas férias quando era criança? Escreva uma legenda para cada imagem.

1. _____

2. _____

3. _____

4. _____

5. _____

5. Faça a correspondência entre as frases com o mesmo significado.

1. Antigamente, os meus avós viviam no campo.	a) No verão passado, os meus avós viveram um mês no campo.
2. No ano passado, os meus avós viveram um mês no campo.	b) Há dois dias, fui ao cinema.
3. Anteontem, fui ao cinema.	c) Naquele tempo, os meus avós viviam no campo.
4. Dantes, ia ao cinema.	d) Habitualmente, chegava a casa à meia-noite.
5. Era meia-noite quando cheguei a casa.	e) Antigamente, ia ao cinema.
6. Costumava chegar a casa à meia-noite.	f) Cheguei a casa à meia-noite.

6. Leia o texto e assinale se as frases são verdadeiras (V) ou falsas (F). Depois, corrija as frases falsas.

A minha primeira viagem de avião

Quando eu era criança, as pessoas não viajavam muito de avião. Naquela época, viajar de avião era muito caro e as pessoas preferiam viajar de barco ou de comboio.

A primeira vez que andei de avião foi com os meus pais quando tinha dez anos. Estava muito entusiasmada com essa aventura... e realmente foi uma grande aventura! Os meus pais queriam fazer comigo uma viagem inesquecível. Primeiro, fomos de comboio de Lisboa até Paris. Depois, apanhámos um avião para Londres.

Naquela época, os voos entre Paris e Londres eram feitos em aviões a hélice, não muito confortáveis.

Naquele dia, tivemos o azar de apanhar uma grande tempestade. O pequeno avião abanava, saltava, parecia que ia cair. Eu estava tão assustada que agarrei o braço do meu pai com tanta força que ele ficou com marcas das minhas unhas durante uma semana.

Foi uma experiência assustadora para mim.

Voltámos para Lisboa de barco. Eu achei que era uma ótima ideia e esperava divertir-me muito. Infelizmente, fiquei enjoada durante toda a viagem. Foi péssimo!

1. Antigamente, as pessoas viajavam pouco de avião. ☐

2. A narradora fez a sua primeira viagem de avião há dez anos. ☐

3. Durante todo o percurso da viagem, a família usou três transportes diferentes. ☐

4. A família voou para Londres com mau tempo. ☐

5. A narradora divertiu-se muito na viagem de regresso. ☐

1. _____

2. _____

3. _____

4. _____

5. _____

7. **Procure na sopa de letras, na horizontal, palavras da mesma família das palavras da caixa.**

~~preferir~~ / **inesquecível / entusiasmada / abanar / assustada / enjoada**

Exemplo: preferir → preferência

Q	P	R	E	F	E	R	Ê	N	C	I	A	Ç
E	N	T	U	S	I	A	S	M	O	P	T	Q
A	M	A	T	A	B	A	N	Ã	O	E	U	W
S	J	D	J	P	E	S	Q	U	E	C	E	R
D	S	U	S	T	O	E	U	R	T	S	M	H
G	J	V	I	I	L	F	A	H	U	A	E	J
H	E	N	J	O	A	R	T	N	I	M	O	I
K	C	F	L	M	P	E	R	L	L	E	P	L

1. De acordo com a informação do Livro do Aluno, assinale se as frases são verdadeiras (V) ou falsas (F). Depois, corrija as frases falsas.

1. O português é a sétima língua mais falada no mundo.	☐
2. Há cerca de 250 milhões de falantes de português.	☐
3. Nove países têm o português como língua oficial.	☐
4. O mirandês é usado em todo o território português.	F
5. No Brasil fala-se brasileiro.	☐

2. Qual é a capital destes países lusófonos?

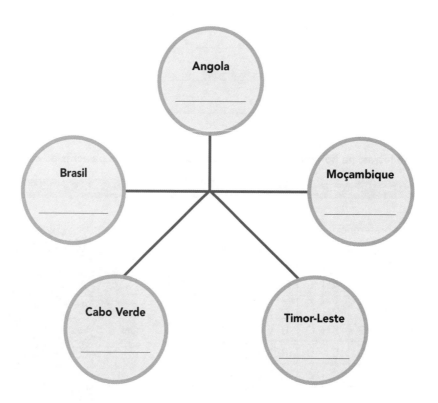

Angola
_____

Brasil
_____

Moçambique
_____

Cabo Verde
_____

Timor-Leste
_____

3. **Complete as frases com a nacionalidade das personalidades referidas nas frases.**

1. Pepetela é um famoso escritor _____.

2. Gilberto Gil é um cantor _____.

3. Cesária Évora é uma famosa cantora _____.

4. Malangatana é um artista plástico _____.

5. José Saramago é um escritor _____.

4. **Complete as frases com o nome do país a que pertencem os pratos típicos referidos.**

1. A Moqueca de Peixe é um prato tradicional do _____.

2. A Cachupa é um prato tradicional de _____.

3. O Frango à Cafreal é um prato típico de _____.

4. Pisang Goreng é um prato tradicional de _____.

5. O Bacalhau com Natas é um prato típico de _____.

5. **Recursos económicos de alguns países lusófonos.**

1. Portugal é o maior produtor mundial de _____.

2. Timor-Leste tem importantes reservas de _____ e _____.

3. Angola tem importantes reservas de _____ e _____.

4. Devido à sua beleza natural, São Tomé e Príncipe está a apostar no setor do _____.

Soluções

UNIDADE 1

1.

Diálogo A

dia / Como / obrigada / Até amanhã

Diálogo B

Olha / Como / Tudo bem / Olá / prazer / Igualmente

2.

B	E	M	B	C	V	B	N	T	U	D	O
X	T	Ç	D	H	M	Z	X	S	W	I	J
A	B	P	F	S	C	O	M	O	D	A	C
T	H	R	T	G	L	L	J	A	Q	U	D
É	J	A	H	T	K	H	K	S	W	Ã	E
R	O	Z	J	A	I	A	M	A	N	H	Ã
G	L	E	L	B	U	V	R	R	T	U	Y
O	B	R	I	G	A	D	O	A	O	L	Á

3.

1. adeus
2. moras
3. estudam
4. o

4.

2. c)
3. d)
4. a)
5. e)
6. b)
7. f)

5.

8 – oito / 4 – quatro / 3 – três / 12 – doze / 5 – cinco / 11 – onze / / 7 – sete / 1 – um / 14 – catorze / 18 – dezoito / 6 – seis / 2 – dois / / 13 – treze / 9 – nove / 15 – quinze / 20 – vinte / 17 – dezassete / 10 – dez / / 19 – dezanove / 16 – dezasseis

6.

2. d)
3. b)
4. e)
5. a)

7.

OFPSSRERO	LPTAORGU	NTDUEASTE	MROÚNE	ZCTOARE
PROFESSOR	PORTUGAL	ESTUDANTE	NÚMERO	CATORZE

8.

Estou / Moras / trabalho / francês / estuda / onde / mora / na

UNIDADE 2

1.

2. A
3. NP
4. NP
5. NP
6. A
7. NP
8. A
10. NP
11. A
12. NP

2.

2. O que estudas?
3. Qual é a tua nacionalidade?
4. Como te chamas?
5. Qual é a tua profissão?
6. Que estás a estudar?

3.

OMÉCID	ÊRFNSAC	LQAU	EDIDA	HTONE
MÉDICO	FRANCÊS	QUAL	IDADE	TENHO

4.

1. espanhola
2. simpático
3. México
4. Paulo

5.

U	R	U	G	U	A	I	P	T	B
X	T	Ç	D	H	M	Z	S	F	R
A	E	S	P	A	N	H	A	G	A
T	H	R	T	G	L	M	N	V	S
É	H	A	H	T	K	H	X	F	I
P	O	R	T	U	G	A	L	R	L
R	L	W	E	O	R	U	I	O	L
S	A	A	R	T	G	H	J	D	Ç
G	N	E	L	B	U	V	L	D	R
T	D	J	F	G	A	E	Y	U	K
Y	A	C	H	I	N	A	A	S	N

6.

País/Origem	Nacionalidade	Nome	Língua Materna	Idade	Profissão
França	**francesa**	Pierre	**francês**	17	estudante
Brasil	**brasileira**	Carlos e Pedro	**português**	33 e 40	professores
China	**chinesa**	Tsui	**mandarim**	37	tradutor
Japão	**japonesa**	Yoko	**japonês**	53	arquiteta
Espanha	**espanhola**	Paco	**espanhol**	62	advogado

7.

2. de França / francês / francês / dezassete anos / estudante
3. do Brasil / brasileiros / português / trinta e três anos / quarenta anos /
   / professores
4. da China / chinês / mandarim / trinta e sete anos / tradutor
5. do Japão / japonesa / japonês / cinquenta e três anos /
   / arquiteta
6. de Espanha / espanhol / espanhol / sessenta e dois anos /
   / advogado

8.

estás / estudo / tenho / gosto / bebo

UNIDADE 3

1.

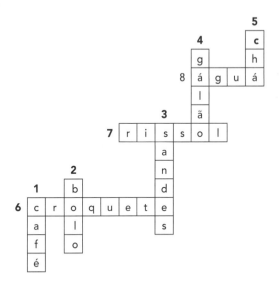

2.

1. **Paulo:** Ana, queres tomar um café ou bebes um chá?
2. **Ana:** Eu prefiro beber um chá. E tu, Sara?
3. **Sara:** Eu quero um café. Detesto chá.
4. **Paulo:** Eu também bebo um chá e quero comer um rissol de camarão.
5. **Ana:** Então, queremos um café, dois chás e um rissol de camarão, por favor.
6. **Empregado:** Muito bem.

3.

barato / barata / caros / difíceis / fáceis / simpática

4.

1. E (Os colegas são muito faladores.)
2. E (O Carlos é um estudante muito trabalhador.)
3. E (A Sara e a Ana estão tristes.)
5. E (Os livros são baratos.)
6. E (Os transportes são caros.)
7. C

5.

gostam / portugueses / preferem / Quero / Tenho / queremos / fresco /
/ prefiro / fresca / queres / como / adoro

6.

1. d)
2. b)
3. e)
4. a) / c)
5. c)

UNIDADE 4

1.

2. a)
3. b)
4. f)
5. g)
6. d)
7. e)

2.

2. A que horas acordas?
3. A que horas é que almoças?
4. Que dia é hoje?
5. Que idade tem ele?
6. A que horas sai de casa?
7. A que horas abre a secretaria?

3.

1. Eu levanto-me às sete horas. / 2. Tomo o pequeno-almoço ao quarto para as oito. / 3. Eu saio de casa às oito. / / 4. Apanho o autocarro às oito e um quarto. / 5. Chego ao trabalho às oito e meia. / 6. Eu trabalho das oito e meia às seis da tarde. / 7. Almoço à uma, na cantina. / 8. Eu saio da empresa à tarde. / 9. Eu volto para casa e faço o jantar. / / 10. Eu deito-me às onze da noite.

4.

U	H	O	R	G	M	R	P
U	**A**	**C**	**O**	**R**	**D**	**A**	**R**
X	**P**	Ç	D	H	M	**J**	B
A	**A**	S	P	A	N	**A**	E
T	**N**	R	T	G	L	**N**	B
C	**H**	A	H	**T**	K	**T**	E
P	**A**	**L**	**M**	**O**	**Ç**	**A**	**R**
R	**R**	W	E	**M**	R	**R**	I
S	A	A	R	**A**	G	H	J
G	**S**	**A**	**I**	**R**	U	V	L
T	D	J	F	G	A	E	Y

5.

acorda / dias / da / toma / toma / come / bebe / sai / apanha /
/ trabalha / sai / vai / faz / regressa / prepara / chega / janta /
/ vê / arrumar / senta-se / lê / deita-se

6.

ao / de / às / da / Ao / Ao / à / ao

UNIDADE 5

1.

1. quarto
2. péssimo
3. piso
4. jardim

2.

1. é
2. tem / fica
3. é / está
4. vive / tem
5. são
6. tem
7. são / é
8. deseja

3.

1. frescos / vermelhas / amarelas
2. quentes / frescas
3. fria / quentes
4. coloridas

4.

U	R	U	G	U	A	**V**	P	T	B
X	T	Ç	D	H	**F**	**E**	**I**	**O**	R
A	E	S	P	A	N	**L**	A	G	A
T	H	R	T	G	**L**	**H**	N	V	S
É	**H**	A	**S**	**U**	**J**	**O**	X	F	I
G	H	J	D	Ç	G	P	T	B	P
B	**A**	**I**	**X**	**O**	G	A	L	R	L
R	**N**	W	E	O	R	U	I	O	L
S	**T**	A	R	T	G	H	J	D	Ç
G	I	E	L	B	U	V	L	D	R
T	**G**	**R**	**A**	**N**	**D**	**E**	X	U	K
Y	**O**	C	H	I	N	A	A	S	N

5.

Texto A

é / quer / em / vai / tem / Deseja

Texto B

chama-se / mora / vai / vai / vai / quer

6.

1. Provavelmente, ela vai ficar um ano.
2. Não, não vai. Ela vai ficar em Lisboa e, depois, vai estudar para Coimbra.
3. Ela vai conhecer o Norte de Portugal.
4. Não, não gosta. Ela não gosta muito de praia.
5. Ele pensa que o Norte do país é muito bonito no verão.
6. Resposta livre.

UNIDADE 6

1.

para / por / de

2.

2. táxi / pela / para
3. autocarro / pela / para
4. autocarro / pelo / para
5. metro / para
6. metro / pelo

3.

2. Eu moro no centro da cidade.
3. De manhã, ele apanha o autocarro para a escola.
4. Em Portugal, os transportes são confortáveis.
5. Nós nunca apanhamos o metro para a empresa.

4.

nomes	adjetivos	verbos
apartamento	barato	apanhar
bilhete	caro	comprar
estação	confortável	demorar
faculdade	histórica	ser
lojas	simpático	estar
máquina		morar
viagens		precisar
		sair
		ter

5.

está / simpático / mora / histórica / apartamento / confortável / / lojas / tem / precisa / comprar / bilhete / estação / máquina / / viagens / caro / barato / Faculdade / apanhar / sair / demora

6.

2. Onde é que ele mora?
3. Como é o apartamento do Danilo?
4. Para onde vai ele?
5. Onde é que ele pode comprar o bilhete para o metro?
6. Quanto tempo demora a viagem para a faculdade?

UNIDADE 7

1. Coloque o vocabulário no quadro correto.

pessoas	na estação	no comboio
maquinista	bilhete	bilhete
passageiro	bilheteira	vagão-restaurante
revisor	máquina	carruagem
	painel de informação	

2.

bilhete / bilheteira / máquina / painel de informação / carruagem / / vagão-restaurante / passageiros / revisor / maquinista

3.

IOBCOMO	ETELBIH	CANOSB	SOIRREV	SORIEGAPAS
COMBOIO	BILHETE	BANCOS	REVISOR	PASSAGEIRO

4.

1. **Manuel:** Bom dia. Sabe dizer-me onde fica a bilheteira, por favor?
2. **Senhora:** Sim, com certeza. Fica do outro lado da estação, perto da entrada.
3. **Empregado:** Bom dia. Posso ajudar?
4. **Manuel:** Sim. Eu queria saber a que horas parte o próximo comboio para Aveiro.
5. **Empregado:** O próximo comboio parte às dez horas e nove minutos. É o comboio rápido, o Alfa.
6. **Manuel:** E quanto tempo demora a viagem?
7. **Empregado:** A viagem demora cerca de duas horas. O senhor chega lá ao meio-dia e treze minutos.
8. **Manuel:** Muito bem. Então, quero um bilhete. Quanto é?
9. **Empregado:** São vinte e sete euros e dez cêntimos.
10. **Manuel:** Aqui está. Muito obrigado.

5.

2. Como é que ele vai para Aveiro?
3. Onde é que o Manuel vai comprar o bilhete de comboio?
4. Onde fica a bilheteira?
5. A que horas parte o comboio?
6. Quanto tempo demora a viagem?
7. O Manuel vai apanhar o comboio Intercidades?
8. Quanto custa o bilhete de comboio?

6.

a / de / das / a / à / de / para / a / para / na / no / da / a / por / do

7.

deseja / de / jornal / conveniente / chega / bilheteira / informações / estar / apanhar / almoçar / regressar / mesmo

UNIDADE 8

1.

1. sala / prateleira / sofá / mesa de refeições / cadeiras / poltrona / / móvel para televisão / televisão
2. quarto / cama / mesa de cabeceira / roupeiro / cómoda / candeeiro
3. cozinha / mesa de cozinha / bancos / fogão e forno / lava-louça / máquina da louça / frigorífico / microondas / armários de cozinha / panelas e tachos / / pratos / copos / talheres (garfos, facas e colheres) / / guardanapos de papel
4. casa de banho / sanita / bidé / lavatório / toalheiros / / espelho de casa de banho / armários de casa de banho / / toalhas de cara e de banho / papel higiénico / autoclismo

2.

1. poltrona / prateleira / mesa / cadeiras / sofá
2. roupeiro / cómoda / cama / mesa de cabeceira
3. sanita / banheira / toalha de banho / toalheiro
4. copo / armário de cozinha / microondas / frigorífico / lava--louça

3.

filhos / filho / filha / netos / tio / primos

4.

1. mais nova
2. mais leve
3. tão alta como
4. menos curto

UNIDADE 9

1.

1. cinema
2. cantor
3. concerto

2.

U	R	U	G	U	A	V	P	T	B
X	T	**C**	**I**	**N**	**E**	**M**	**A**	O	R
A	E	**O**	P	A	N	L	A	G	**S**
T	H	**N**	T	G	L	H	O	V	**A**
É	H	**C**	S	U	J	O	P	F	**L**
G	T	**E**	**A**	**T**	**R**	**O**	I	B	**A**
M	T	**R**	P	X	G	A	**P**	R	L
R	N	**T**	E	O	R	U	**O**	O	L
S	T	**O**	R	T	G	H	**C**	D	Ç
G	I	E	L	B	U	V	**A**	D	R
T	**M**	**Ú**	**S**	**I**	**C**	**O**	**S**	U	K
Y	O	C	H	P	N	A	A	S	N

3.

1. **Beatriz:** Filipe, queres ir ao cinema?
2. **Filipe:** Não, não me apetece nada.
3. **Beatriz:** Porquê?
4. **Filipe:** Porque detesto salas escuras. Prefiro estar ao ar livre.
5. **Beatriz:** Então, o que é que queres fazer?
6. **Filipe:** Gostava de ir a um concerto ao ar livre. Há um espetáculo de música clássica ao ar livre amanhã.
7. **Beatriz:** Olha, boa ideia. Adoro ouvir música clássica e o tempo está ótimo!
8. **Filipe:** Muito bem. Então, está combinado. Vou comprar os bilhetes na Internet. Assim, consigo um preço mais baixo.

4.

1. V
2. F (O Filipe prefere espetáculos ao ar livre.)
3. F (Ele prefere ir a um concerto ao ar livre.)
4. V
5. F (A Beatriz aceita a sugestão do Filipe.)
6. V
7. F (O Filipe vai comprar os bilhetes na internet.)
8. F (A Beatriz adora música clássica.)

5.

casa / vão / concerto / clássica / gosta / prefere / lazer / contente / / comprou / têm de / lugares / metro / chegam / estão / fila

6.

1. se sente
2. se senta
3. me deito
4. levanta-se
5. sente-se
6. nos esquecemos
7. se chama
8. se lembra
9. te levantas
10. se calam
11. preocupa-se
12. se levanta
13. se veste
14. deitamo-nos
15. se penteia
16. se barbeia
17. maquilhar-te
18. se zangou

Soluções

UNIDADE 10

1.

1. fato / camisa / gravata
2. vestido de fazenda / casaco comprido / sapatos de salto alto / chapéu de chuva
3. calções de banho / camisola de manga curta / chinelos
4. camisola de lã / cachecol / luvas

2.

Grau normal	Grau superlativo absoluto analítico	Grau superlativo absoluto sintético
simpático	muito simpático	simpatiquíssimo
grande	muito grande	enorme
elegante	muito elegante	elegantíssimo
fácil	muito fácil	facílimo
mau	muito mau	péssimo
bom	muito bom	ótimo
baixo	muito baixo	baixíssimo
caro	muito caro	caríssimo

3.

1. alta
2. enormes
3. baixíssimos
4. muito faladora
5. péssima
6. muito bons
7. fáceis
8. muito atlético / gordo

4.

1. **Rute:** Sara, gostava de ir numa esplanada. Está um dia tão bonito! Que tal?
2. **Sara:** Parece-me uma excelente ideia. Onde vamos?
3. **Rute:** Podemos ir àquela esplanada que fica no jardim, perto do lago.
4. **Sara:** É uma ótima ideia. O dia está quente, e, assim, apanhamos sol.
5. **Rute:** E como vamos para lá?
6. **Sara:** Podemos apanhar um elétrico aqui perto.

5.

conversam / desejar / calor / fresco / naturais / gelo / comer / salgados / / bolos / nata / gosto / favor / Trago

6.

Esta / Este / aquele / fica / bom / querer / esse / desse

UNIDADE 11

1.

AOGL	ACMRO	RIAMANA	LANAEG	MITAAF
OLGA	MARCO	MARIANA	ÂNGELA	FÁTIMA

2.

moro

3.

A	S	C	F	T	G	B	T	P	M
B	M	F	O	M	O	S	E	A	I
V	O	F	I	L	P	F	V	R	V
X	R	L	O	E	X	C	E	T	U
Z	Ç	B	E	B	I	H	I	C
R	I	Q	P	Z	U	F	N	U	O
E	S	T	I	V	E	M	O	S	M
F	K	W	D	A	S	M	W	T	E
V	H	R	Q	U	K	E	Y	O	U
E	Y	U	L	P	O	X	R	S	M

4.

2. a) Hoje, vou à casa da minha avó; b) Ontem, fui à casa da minha avó.
3. a) Hoje, leio as notícias no telemóvel; b) Ontem, li as notícias no telemóvel.
4. a) Hoje, bebo um café; b) Ontem, bebi um café;
5. a) Hoje, apanho o elétrico; b) Ontem, apanhei o elétrico.

5.

2. Onde é que a Ana foi anteontem? / A Ana foi à praia.
3. Onde é que vocês foram na semana passada? / Nós fomos ao restaurante.
4. Onde é que vocês estiveram no verão passado? / Nós estivemos no Algarve.
5. O que é que ela comeu hoje de manhã? / Ela comeu um bolo.
6. O que é que o Pedro bebeu ontem à tarde? / O Pedro bebeu um galão.

6.

1. c)
2. d)
3. e)
4. a)
5. b)

7.

Resposta livre

8.

1. durante
2. almoçar
3. Provaste
4. amena

UNIDADE 12

1.

estás / acordaste / pequeno-almoço / alugar / minutos / sair

2.

B	**P**	**A**	**R**	**A**	**P**	**E**	**N**	**T**	**E**	D	O
X	T	Ç	D	H	M	Z	X	S	W	I	**C**
A	**F**	**U**	**T**	**E**	**B**	**O**	**L**	O	D	A	**O**
T	H	R	T	G	L	L	J	A	Q	U	**R**
É	J	**C**	**I**	**C**	**L**	**I**	**S**	**M**	**O**	Ã	**R**
N	O	Z	J	A	I	A	M	A	N	H	**I**
I	L	E	L	B	U	V	R	R	T	U	**D**
S	B	R	I	G	A	D	O	A	O	L	**A**

3.

1. Quanto custa?
2. Que horas são?
3. A conta, por favor!
4. Desculpe! Onde fica esta rua?

4.

1. **Luís:** Olá, Mariana! Como estás?
2. **Mariana:** Tudo bem. Há muito tempo que não me telefonavas!
3. **Luís:** Olha, ontem falei com a minha prima, a Eva, e ela pediu-me o teu número. Posso dar-lhe o teu contacto?
4. **Mariana:** Sim, claro. Gosto muito dela.
5. **Luís:** Podemos ir jantar juntos mais logo. O que achas?
6. **Mariana:** Acho uma excelente ideia. Assim, podemos pôr a conversa em dia, não é?
7. **Luís:** Boa! Vou ligar à Eva!

5.

1. resolvi / Decidi / comecei / descobri / fui
2. Conseguimos / Fiquei
3. jantei / bebi / Foi

6.

a) 2
b) 1
c) 3

7.

1. luminoso
2. maravilhoso
3. fresco
4. intenso
5. habitual
6. delicioso

8.
1. engano / particular
2. falar
3. está
4. à tarde
5. ir

9.
1. Onde é que a Luísa mora agora?
2. A Sara chega sempre atrasada ao trabalho.
3. O João gosta muito de morar em Lisboa.

10.

verbo	nome
explorar	o explorador
programar	**o programa**
descobrir	a descoberta
encontrar	o encontro
agrupar	**o grupo**
beber	a bebida
repetir	a repetição

UNIDADE 13

1.
1. c)
2. a)
3. b)
4. d)
5. e)

2.
1. gostavas
2. preferia
3. gostas
4. gostava

3.
1. comigo
2. connosco
3. consigo
4. convosco
5. com ele
6. com ela

4.
queria / pacote / Podia / quilo / maduro / encomendar / sábado

5.

	Mensagem 1	Mensagem 2	Mensagem 3
Iniciar correspondência	Caro Presidente,	Olá, Joana.	Querido amigo,
Saudação final de correspondência	Com os meus cumprimentos,	Muitos beijinhos,	Um abraço,
Objetivo da mensagem	Fazer uma sugestão	Fazer um convite	Felicitar alguém

6.
Resposta livre

UNIDADE 14

1.
1. F
2. F
3. I
4. I
5. F

2.
1. A Maria passou o fim de semana no Algarve.
2. O táxi parou de repente em frente da farmácia.
3. A Susana vai aos correios enviar uma encomenda.
4. Professor, dá-me licença para falar?

3.

1. jardim
2. supermercado
3. mesa
4. Austrália
5. gato
6. sofá

4.

1. c)
2. d)
3. a)
4. b)

5.

1. Resposta livre
2. Resposta livre
3. Resposta livre

6.

1. O sofá está atrás do João, em frente da parede.
2. Os livros estão na prateleira, por cima do vaso.
3. O relógio está ao lado dos livros.
4. Os quadros estão na parede ao lado das prateleiras.
5. O candeeiro está em cima da mesa pequena.
6. A mesa está ao lado do sofá.
7. O vaso está por baixo da prateleira dos livros e do relógio.

7.

1. arrumado
2. perder
3. debaixo da mesa
4. organizado
5. Ele está adiantado

8.

verbo	nome
trabalhar	**o trabalho**
desarrumar	**a desarrumação**
comprar	as compras
encontrar	o encontro
arquivar	o arquivo
necessitar	**a necessidade**
enviar	**o envio**

9.

1. fica/é
2. está
3. está
4. fica/é
5. fica/é
6. estão
7. está

UNIDADE 15

1.

1. c)
2. d)
3. a)
4. b)

2.

desculpe / fica / jardim / em frente / rotunda / esquina / Vira

3.

1. O hospital fica longe do centro da cidade.
2. Há uma paragem muito perto da pastelaria.
3. Como posso ir para a escola de música?

4.

1. Despacha-te / Anda
2. enerves
3. bebe
4. chama
5. atrases
6. Acalma-te

5.

1. adiantado
2. acalmar-se
3. desligar
4. despir-se
5. calmo
6. subir

6.

1. d)
2. a)
3. b)
4. c)

7.

2. Não atravesses a rua na passadeira.
3. Não ponhas o lixo no caixote.
4. Não leias livros nas férias.
5. Não ajudes os teus amigos.
6. Não faças os trabalhos de casa.
7. Não tenhas pensamentos positivos.

UNIDADE 16

1.

1. d)
2. a)
3. e)
4. b)
5. f)
6. c)

2.

1. f)
2. e)
3. a)
4. b)
5. c)
6. g)
7. h)
8. d)

3.

1. médico
2. doente
3. febre
4. garganta
5. antibiótico
6. há
7. tem

4.

F	**P**	**É**	**S**	U	J	K
B	**O**	R	L	A	F	U
D	**U**	F	O	I	L	P
Q	**V**	V	**M**	**Ã**	**O**	**S**
A	**I**	H	Ç	E	G	D
Z	**D**	**E**	**N**	**T**	**E**	**S**
C	**O**	K	P	A	R	E
V	**S**	M	B	V	R	U
B	**A**	**R**	**R**	**I**	**G**	**A**

5.

1. A Maria fez várias análises ao sangue.

2. O João comprou muitos medicamentos na farmácia.

3. Ela tem febre e dor de garganta.

6.

Bom dia, senhor doutor.

Então, qual é o problema?

Ontem caí numas escadas e doem-me as costas.

Vamos lá ver isso! Dói-lhe aqui?

Sim, sim. Dói-me muito!

Acho que é melhor fazer uma radiografia.

Acha que parti alguma coisa?

Acho que não. Provavelmente vai ter de fazer fisioterapia.

7.

```
            1
            m
 2 f e b r  e
            d
            i
            c
     3 f a r m á c i a
     4   m é d i c o
            e
 5 a n t i  b i ó t i c o
            t
            o
```

8.

1. consulta
2. preencher
3. marcar
4. vagas
5. atrasado
6. consultório

9.

1. pescoço
2. barriga
3. costas
4. pés
5. dentes
6. cabeça

UNIDADE 17

1.

1. c)
2. e)
3. b)
4. d)
5. a)

2.

1. Na semana passada, a Maria reservou um voo e um hotel para a Madeira pela Internet.

2. Ela queria um quarto com vista para o mar, mas já estavam todos esgotados.

3. A Maria teve de esperar mais de duas horas no aeroporto porque a hora do voo foi alterada e ficou muito aborrecida.

4. Quando ela chegou à Madeira, ficou mais de uma hora à espera da mala que nunca chegou!

5. Quando chegou ao aeroporto da Madeira, ela alugou um carro para visitar a ilha.

3.

1. aluguer
2. atrasado
3. agência de viagens
4. preferia
5. individual
6. a horas

Soluções

4.
1. chegues
2. Marca
3. Veste
4. fiques
5. dês
6. estejas

5.
1. O Pedro decidiu marcar férias em agosto.
2. Queria passar uma semana em Lisboa e visitar a cidade e os arredores.
3. Decidiu ir de comboio.
4. Reservou o lugar, mas esqueceu-se de reservar o hotel.
5. Quando chegou a Lisboa, ficou muito surpreendido com o número de turistas na cidade.
6. Nesse mês, Lisboa recebeu um grande evento e os hotéis ficaram todos cheios.
7. O Pedro ficou alojado fora da cidade, numa zona muito barulhenta, longe do aeroporto.
8. No dia seguinte, ele resolveu ir até ao centro, mas foi muito difícil encontrar um táxi.
9. Da próxima vez que viajar, o Pedro vai planear tudo melhor.

6.
2. Viaja com muita bagagem.
3. Bebe álcool durante o voo.
4. Esquece-te do passaporte.
5. Traz muito dinheiro na carteira.
6. Sai sozinho à noite.
7. Sê descuidado com os carteiristas.

7.
fique / tenha / pense / Conviva / esqueça / Faça / converse / / Esqueça / desligue / Reduza / fale / Mostre / Desligue-se / / mantenha / fique

8.
1. d)
2. b)
3. a)
4. f)
5. c)
6. e)
7. h)
8. i)
9. g)
10. j)

UNIDADE 18

1.
1. b)
2. d)
3. e)
4. c)
5. a)

2.
2. Plantem mais árvores.
3. Substituam os bancos.
4. Limpem o lixo do chão.
5. Renovem o parque infantil.

b) Podiam despejar os caixotes do lixo.
c) Podiam reparar o sistema de rega.
d) Podiam substituir os candeeiros.
e) Podiam multar os carros estacionados em cima do passeio.

3.
1. b)
2. e)
3. a)
4. d)
5. c)

4.

Resposta livre

5.

1. molhado
2. vivo
3. novo
4. vazio
5. sujo
6. encher

6.

1. A praia estava muito suja.
2. O parque estava cheio de lixo.
3. O rio estava muito poluído.

7.

Resposta livre

8.

Resposta livre

UNIDADE 19

1.

1. ia
2. lia
3. vinham
4. era / tinha
5. punham
6. tinha / fazia
7. viam

2.

A casa do Pedro ficava em frente do mar. Era uma casa antiga. Era branca e tinha portadas azuis. Em frente da casa havia algumas plantas em vasos.

3.

1. d)
2. b)
3. a)
4. c)
5. f)
6. g)
7. e)

4.

1. A Ana costumava passar férias com a avó.
2. A Ana costumava jogar à bola na rua.
3. A Ana costumava ir à praia.
4. A Ana costumava ir pescar com o avô.
5. A Ana costumava fazer piqueniques com os pais e o irmão.

5.

1. c)
2. a)
3. b)
4. e)
5. f)
6. d)

6.

1. V
2. F (A narradora fez a sua primeira viagem de avião quando tinha 10 anos.)
3. V
4. V
5. F (A narradora não se divertiu na viagem de regresso porque ficou enjoada durante toda a viagem.)

© Lidel – Edições Técnicas, Lda.

7.

Q	P	R	E	F	E	R	Ê	N	C	I	A	Ç
E	N	T	U	S	I	A	S	M	O	P	T	Q
A	M	A	T	A	B	A	N	Ã	O	E	U	W
S	J	D	J	P	E	S	Q	U	E	C	E	R
D	S	U	S	T	O	E	U	R	T	S	M	H
G	J	V	I	I	L	F	A	H	U	A	E	J
H	E	N	J	O	A	R	T	N	I	M	O	I
K	C	F	L	M	P	E	R	L	L	E	P	L

UNIDADE 20

1.

1. F (O português é a quarta língua mais falada no mundo.)
2. V
3. V
4. F (O mirandês é usado localmente.)
5. F (No Brasil fala-se português, variante brasileira.)

2.

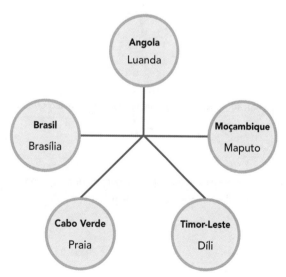

3.

1. angolano
2. brasileiro
3. cabo-verdiana
4. moçambicano
5. português

4.

1. Brasil
2. Cabo Verde
3. Moçambique
4. Timor-Leste
5. Portugal

5.

1. cortiça
2. petróleo / gás natural
3. petróleo / diamantes
4. turismo

FOTOGRAFIAS